Rosetta Stone

CHINESE
PICTURE DICTIONARY
Traditional characters

ISBN: 978-1-947569-69-0

27 26 25 24 23 1 2 3 4 5

Printed in the USA

About this book

Are you ready to learn some Chinese words? Before you begin, here's some useful information to help you get the most out of this book.

Mandarin Chinese

There are many different languages spoken in mainland China, but *Mandarin* is the main one. Mandarin is also widely used in other countries. When we talk about *Chinese* in this book, we're talking about *Mandarin Chinese*.

Chinese characters

In English, you read and write using the ABC alphabet. In Chinese, you use *characters* instead. There are tens of thousands of characters in Chinese! But all characters are made up of about two hundred base parts called *radicals*, which can be put together in different ways.

Sometimes, you can imagine the characters as pictures to help you remember them. For example, the character for *person* 人 looks kind of like a person with two legs. Other times, you just need to memorize the characters.

There are two kinds of Chinese characters: *traditional* and *simplified*. Traditional characters are used in Taiwan, Hong Kong, and Macau. Simplified characters are used in mainland China and in Singapore. This book uses traditional characters.

Pinyin

Pinyin is a way of writing Chinese words using the ABC alphabet. This can help you when you're learning Chinese. Be careful, though! The way you read pinyin is not exactly the same as the way you read English. For example, **he** in pinyin is pronounced like *huh*—not like the word *he* in English.

Be sure to check out the QR codes in this book for pronunciation help.

Tones

Chinese is a *tonal* language. This means that the same word can mean different things depending on how you say it. For example, the word 媽 (mā) is said with a high, flat tone. It means *mother*. The word 麻 (má) is said with a rising intonation—kind of like the way you ask a question—and it is a kind of plant. The word 馬 (mǎ) is said with a tone that goes down and then up again, and it means *horse*. You might also hear 馬 (mǎ) spoken with just a low, flat tone—kind of like the way you say "Uhh..." when you're not sure about something. The word 罵 (mà) is said with a falling intonation—kind of like the way you might firmly tell someone "No!"—and it means *to scold*. So even though those four words all look similar in pinyin, they are spoken differently and they mean different things.

Did you notice that the pinyin for each of those words has a different line or mark on top of the letter **a**? Those accent marks show you which tone to use. If there is no accent mark, that means it has a neutral tone.

動物 (Animals)
dòng wù

māo 貓 cat
gǒu 狗 dog
niǎo 鳥 bird
tù zi 兔子 rabbit
cāng shǔ 倉鼠 hamster
mǎ 馬 horse
zhū 豬 pig
mián yáng 綿羊 sheep

FUN LANGUAGE FACT: Different languages have different sounds for animals. For example, a dog says "woof" in English but 汪 (wāng) in Chinese. Scan the QR code to hear more Chinese animal sounds!

Saying words in Chinese

The best way to learn how to say each word in Chinese is to hear it spoken by a native speaker. Scan the QR codes in this book to hear each word out loud.

Language facts

Throughout this book, we share fun, interesting, and useful facts about the Chinese words you're learning.

Table of Contents

數字 shù zì
Numbers

0

líng
零
zero

1

yī
一
one

2

èr
二
two

3

sān
三
three

4

sì
四
four

5

wǔ
五
five

6

liù
六
six

7

qī
七
seven

8

bā
八
eight

9

jiǔ
九
nine

10

shí
十
ten

11

shí yī
十一
eleven

Scan here to hear the words!

12
shí èr
十二
twelve

13
shí sān
十三
thirteen

14
shí sì
十四
fourteen

15
shí wǔ
十五
fifteen

16
shí liù
十六
sixteen

17
shí qī
十七
seventeen

FUN LANGUAGE FACT:
If you know the numbers 1 through 10 in Chinese, you can use them to count all the way to 99! See how the numbers 11 through 19 are just the word for *ten* followed by the words for *one, two, three, etc.*? Similarly, 20 is *two-ten*, 30 is *three-ten*, and so on. What do you think 二十五 (èr shí wǔ), or *two-ten-five* means?

18
shí bā
十八
eighteen

19
shí jiǔ
十九
nineteen

5

數字 shù zì
Numbers

20

èr shí
二十
twenty

30

sān shí
三十
thirty

40

sì shí
四十
forty

50

wǔ shí
五十
fifty

60

liù shí
六十
sixty

70

qī shí
七十
seventy

80

bā shí
八十
eighty

90

jiǔ shí
九十
ninety

100

yì bǎi
一百
one hundred

6

顏色 yán sè
Colors

Scan here to hear the words!

hóng sè
紅色
red

lán sè
藍色
blue

FUN LANGUAGE FACT:
色 (sè) means *color* in Chinese. So 藍色 (lán sè) literally means *blue color* and 紅色 (hóng sè) literally means *red color*.

huáng sè
黃色
yellow

chéng sè
橙色
orange

lǜ sè
綠色
green

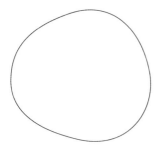

bái sè
白色
white

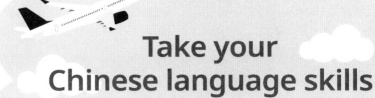

Take your Chinese language skills to the next level!

Sign up for RosettaStone.com.

Scan here to hear the words!

顏色 yán sè
Colors

hēi sè
黑色
black

fěn sè
粉色
pink

zǐ sè
紫色
purple

zōng sè
棕色
brown

huī sè
灰色
gray

qiǎn lán sè
淺藍色
pale blue

FUN LANGUAGE FACT:
Another word for *brown* is 咖啡色 (kā fēi sè), which means *coffee color.*

淺 (qiǎn) means *shallow,* while 深 (shēn) means *deep.* So instead of describing colors as darker or lighter, as we do in English, in Chinese they're described as shallower or deeper. For example, pale blue is 淺藍色 (qiǎn lán sè), or *shallow blue color.*

shēn lán sè
深藍色
dark blue

形狀 xíng zhuàng
Shapes

Scan here to hear the words!

zhèng fāng xíng
正方形
square

cháng fāng xíng
長方形
rectangle

yuán xíng
圓形
circle

tuǒ yuán xíng
橢圓形
oval

líng xíng
菱形
diamond

xīng xíng
星形
star

sān jiǎo xíng
三角形
triangle

FUN LANGUAGE FACT:
角 (jiǎo) means *angle* or *corner*. A triangle has three corners, so it is called a 三角形 (sān jiǎo xíng), or *three corner shape* in Chinese. A pentagon has five corners, so it is a 五角形 (wǔ jiǎo xíng), or *five corner shape.*

xīn xíng
心形
heart

動物 dòng wù
Animals

māo

貓

cat

gǒu

狗

dog

niǎo

鳥

bird

tù zi

兔子

rabbit

cāng shǔ

倉鼠

hamster

mǎ

馬

horse

FUN LANGUAGE FACT: Different languages have different sounds for animals. For example, a dog says "woof" in English but 汪 (wāng) in Chinese. Scan the QR code to hear more Chinese animal sounds!

zhū

豬

pig

yáng

羊

sheep

Scan here to hear the words!

niú

牛

cow

FUN LANGUAGE FACT:
牛 (niú) is also used to refer to an ox or bull. In Chinese, **你真牛** (nǐ zhēn niú), or *you really ox*, is an expression that means *you are awesome.*

yā zi

鴨子

duck

shān yáng

山羊

goat

é

鵝

goose

huǒ jī

火雞

turkey

jī

雞

chicken

FUN LANGUAGE FACT:
A hen is a female chicken, while a rooster is a male chicken. In Chinese, you just add 母 (mǔ) which means *female,* or 公 (gōng) which means *male, to* the word for *chicken,* 雞 (jī). So *hen* is 母雞 (mǔ jī), while *rooster* is 公雞 (gōng jī).

lǎo shǔ

老鼠

mouse

11

動物 dòng wù
Animals

hú li
狐狸
fox

qīng wā
青蛙
frog

xióng
熊
bear

lù
鹿
deer

shé
蛇
snake

lóng
龍
dragon

FUN LANGUAGE FACT:
貓 (māo) means *cat,* 頭 (tóu) means *head,* and 鷹 (yīng) means *eagle.* So the word for *owl* in Chinese translates to *cat head eagle,* or *eagle with a cat head.*

māo tóu yīng
貓頭鷹
owl

sōng shǔ
松鼠
squirrel

chòu yòu

臭鼬

skunk

huàn xióng

浣熊

raccoon

FUN LANGUAGE FACT: Raccoons sometimes dip their food in water and then roll it around in their paws. It almost looks like they're washing their food before eating it. This is how raccoons got the name 浣熊 (huàn xióng), which means *washing bear*.

cì wei

刺蝟

hedgehog

yǎn shǔ

鼹鼠

mole

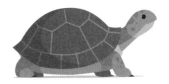

wū guī

烏龜

turtle

láng

狼

wolf

FUN LANGUAGE FACT: 斑 (bān) means *stripe* or *spot,* and 馬 (mǎ) means *horse.* So a zebra is called a *striped horse* in Chinese.

bān mǎ

斑馬

zebra

13

動物 dòng wù
Animals

dà xiàng

大象

elephant

shī zi

獅子

lion

hóu zi

猴子

monkey

dà xīng xing

大猩猩

gorilla

huǒ liè niǎo

火烈鳥

flamingo

xī niú

犀牛

rhinoceros

cháng jǐng lù

長頸鹿

giraffe

hé mǎ

河馬

hippopotamus

lǎo hǔ

老虎

tiger

Scan here to hear the words!

yīng wǔ

鸚鵡

parrot

shù dài xióng

樹袋熊

koala

FUN LANGUAGE FACT:
樹 (shù) means *tree*, 袋 (dài) means *pouch*, and 熊 (xióng) means *bear*. So koalas are *tree pouch bears* in Chinese, because they live in trees and have a pouch. Koalas are also sometimes called 考拉 (kǎo lā) in Chinese.

biān fú

蝙蝠

bat

luò tuo

駱駝

camel

xióng māo

熊貓

panda

dài shǔ

袋鼠

kangaroo

qǐ é

企鵝

penguin

hǎi tún

海豚

dolphin

動物 dòng wù
Animals

páng xiè

螃蟹

crab

lóng xiā

龍蝦

lobster

hǎi xīng

海星

sea star

FUN LANGUAGE FACT:
Did you notice that a lot of the words on this page end with 魚 (yú), which means *fish*? Whales, crocodiles, and sharks have 魚 (yú) as their root word, because they live in the water too!

yú

魚

fish

jīng yú

鯨魚

whale

è yú

鱷魚

crocodile

shā yú

鯊魚

shark

zhāng yú

章魚

octopus

Scan here to hear the words!

hǎi mǎ

海馬

seahorse

FUN LANGUAGE FACT:
海 (hǎi) means *sea* while
馬 (mǎ) means *horse.* So
海馬 (hǎi mǎ) means *sea horse,* just like in English.
豹 (bào) means *leopard,*
so 海豹 (hǎi bào) means
sea leopard.

hǎi bào

海豹

seal

cāng yíng

蒼蠅

fly

mì fēng

蜜蜂

bee

hú dié

蝴蝶

butterfly

mà zha

螞蚱

grasshopper

máo máo chóng

毛毛蟲

caterpillar

FUN LANGUAGE FACT:
毛 (máo) means *hair*
while 蟲 (chóng) means
insect. So a caterpillar is
a *hairy hairy insect*
in Chinese!

動物 dòng wù
Animals

yíng huǒ chóng

螢火蟲

firefly

piáo chóng

瓢蟲

ladybug

jiǎ ké chóng

甲殼蟲

beetle

fēi é

飛蛾

moth

zhī zhū

蜘蛛

spider

wén zi

蚊子

mosquito

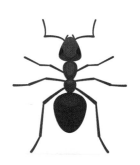

mǎ yǐ

螞蟻

ant

wú gōng

蜈蚣

centipede

rú chóng

蠕蟲

worm

shuǐ guǒ hé shū cài
水果和蔬菜
Fruits and vegetables

Scan here to hear the words!

píng guǒ

蘋果

apple

FUN LANGUAGE FACT:
小蘋果 (xiǎo píng guǒ), which literally means *little apple,* is a term you use for someone you're very fond of.

xiāng jiāo

香蕉

banana

jú zi

橘子

orange

cǎo méi

草莓

strawberry

lán méi

藍莓

blueberry

hóng méi

紅莓

raspberry

FUN LANGUAGE FACT:
水果 (shuǐ guǒ) means *fruit* while 蔬菜 (shū cài) means *vegetable.* So if you see 果 (guǒ) in a word, you can guess that it's a kind of fruit! Similarly, if you see 菜 (cài) in a word, you can guess that it's a kind of vegetable.

水果和蔬菜 shuǐ guǒ hé shū cài
Fruits and vegetables

lí

梨

pear

táo zi

桃子

peach

xī yòu

西柚

grapefruit

lǐ zi

李子

plum

pú tao

葡萄

grapes

pú táo gān

葡萄乾

raisins

xī méi

西梅

prune

hóng zǎo

紅棗

red date

FUN LANGUAGE FACT:
Did you know that a raisin is a dried grape? In Chinese, 乾 (gān) means *dry*, so 葡萄乾 (pú táo gān) literally means *dried grape*.

Scan here to hear the words!

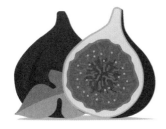

wú huā guǒ
無花果
fig

hā mì guā
哈密瓜
melon

xī guā
西瓜
watermelon

mù guā
木瓜
papaya

FUN LANGUAGE FACT:
西瓜 (xī guā) means *western melon*, since watermelons were introduced to ancient China from the west. 木瓜 (mù guā) means *tree melon*, since papayas grow on trees.

níng méng
檸檬
lemon

qīng níng méng
青檸檬
lime

hēi méi
黑莓
blackberry

21

水果和蔬菜 shuǐ guǒ hé shū cài
Fruits and vegetables

màn yuè méi
蔓越莓
cranberry

xìng
杏
apricot

yīng táo
樱桃
cherry

bō luó
菠蘿
pineapple

máng guǒ
芒果
mango

shí liu
石榴
pomegranate

mí hóu táo
獼猴桃
kiwi

FUN LANGUAGE FACT:
獼猴 (mí hóu) means *macaque*, a type of monkey, while 桃 (táo) means *peach*. This may be because the monkeys in China love eating kiwi fruit!

Scan here to hear the words!

shì zi

柿子

persimmon

fān shí liu

番石榴

guava

lì zhī

荔枝

lychee

FUN LANGUAGE FACT:
百 (bǎi) means *hundred*, 香 (xiāng) means *fragrant*, and 果 (guǒ) means *fruit*. So passion fruit is literally *hundred fragrant fruit* in Chinese.

bǎi xiāng guǒ

百香果

passion fruit

yē zi

椰子

coconut

gǎn lǎn

橄欖

olive

hú luó bo

胡蘿蔔

carrot

水果和蔬菜 shuǐ guǒ hé shū cài
Fruits and vegetables

qié zi

茄子

eggplant

xī lán huā

西蘭花

broccoli

wān dòu

豌豆

peas

FUN LANGUAGE FACT:
Trying to get a good smile for a photo? Instead of saying "Cheese!" like we do in English, Chinese people say 茄子 (qié zi)!

cǎi jiāo

彩椒

bell pepper

bō cài

菠菜

spinach

huáng guā

黃瓜

cucumber

FUN LANGUAGE FACT:
黃瓜 (huáng guā) means *yellow gourd*. This might seem strange, since cucumbers are usually green, not yellow. But cucumbers actually can turn yellow when they are old and very ripe. These yellowish cucumbers are often used for making soup.

Scan here to hear the words!

xī hóng shì

西紅柿

tomato

FUN LANGUAGE FACT:
Another word for *tomato* is 番茄 (fān qié), which means *foreign eggplant*. Tomatoes were brought to China sometime in the late 16th or early 17th century, and people thought they were strange and foreign at first.

yáng cōng

洋蔥

onion

shēng cài

生菜

lettuce

yuán bái cài

圓白菜

cabbage

cài huā

菜花

cauliflower

yǔ yī gān lán

羽衣甘藍

kale

bào zǐ gān lán

抱子甘藍

Brussels sprouts

水果和蔬菜 shuǐ guǒ hé shū cài
Fruits and vegetables

sì jì dòu
四季豆
green beans

xiǎo bái cài
小白菜
bok choy

xī hú lu
西葫蘆
zucchini

jiāng
薑
ginger

tǔ dòu
土豆
potato

hóng shǔ
紅薯
sweet potato

luó bo
蘿蔔
radish

jiǔ cōng
韭蔥
leek

lú sǔn
蘆筍
asparagus

Scan here to hear the words!

niú yóu guǒ

牛油果

avocado

kǔ guā

苦瓜

bitter melon

xī qín

西芹

celery

mó gu

蘑菇

mushroom

dà suàn

大蒜

garlic

hóng cōng tóu

紅蔥頭

shallot

yù mǐ

玉米

corn

lián ǒu

蓮藕

lotus root

nán guā

南瓜

pumpkin

Scan here to hear the words!

堅果 jiān guǒ
Nuts

hé tao
核桃
walnut

zhēn zi
榛子
hazelnut

kāi xīn guǒ
開心果
pistachio

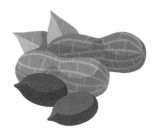

huā shēng
花生
peanut

xìng rén
杏仁
almond

FUN LANGUAGE FACT:
開心果 (kāi xīn guǒ) means *happy fruit*. This is probably because the open shells on the pistachio kind of look like a smile!

bì gēn guǒ
碧根果
pecan

yāo guǒ
腰果
cashew

lì zi
栗子
chestnut

食物 shí wù
Food

nǎi lào
奶酪
cheese

jī dàn
雞蛋
egg

huáng yóu
黃油
butter

suān nǎi
酸奶
yogurt

zhōu
粥
congee

FUN LANGUAGE FACT:
Congee is a type of porridge that is usually made with rice. It is very popular in China and other Asian countries.
粥 (zhōu) is the most common name for it in China, but you might hear it referred to as **jūk** in Hong Kong.

guǒ jiàng
果醬
jam

fēng mì
蜂蜜
honey

miàn bāo
麵包
bread

食物 shí wù
Food

shā lā
沙拉
salad

sān míng zhì
三明治
sandwich

tāng
湯
soup

FUN LANGUAGE FACTS:
Say 意大利 (yì dà lì) out loud. Does it sound like a country you know that is famous for its pasta? That's right, 意大利 (yì dà lì) means *Italy*, and 麵 (miàn) means *wheat flour food.*

yì dà lì miàn
意大利麵
pasta

miàn tiáo
麵條
noodles

mǐ fàn
米飯
rice

xiǎo biǎn dòu
小扁豆
lentils

dòu zi
豆子
beans

Scan here to hear the words!

xiǎo mài
小麥
wheat

miàn fěn
麵粉
flour

huáng dòu
黃豆
soybean

mài piàn
麥片
cereal

yàn mài piàn
燕麥片
oatmeal

xiāng cháng
香腸
sausage

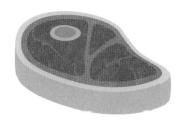

ròu
肉
meat

FUN LANGUAGE FACT:
If you want to talk about a specific kind of meat, you can just add the animal name before the word 肉 (ròu), which means *meat*. So *pork* is 豬肉 (zhū ròu), or *pig meat*; *beef* is 牛肉 (niú ròu), or *cow meat*; and *chicken* is 雞肉 (jī ròu), or *chicken meat*.

31

食物 shí wù
Food

jiǎo zi
餃子
dumplings

bāo zi
包子
steamed stuffed bun

dòu fu
豆腐
tofu

huǒ tuǐ
火腿
ham

jīn qiāng yú
金槍魚
tuna

FUN LANGUAGE FACT:
Another word for
金槍魚 (jīn qiāng yú) is
吞拿魚 (tūn ná yú),
which comes from the
word *tuna*.

shǔ tiáo
薯條
fries

fān qié jiàng
番茄醬
ketchup

jiàng yóu
醬油
soy sauce

Scan here to hear the words!

yóu

油

oil

FUN LANGUAGE FACT:
加油 (jiā yóu), which means *to add oil or fuel*, is a Chinese expression that is used to show support and encouragement. It is often used as a kind of cheer at sporting events.

cù

醋

vinegar

hú jiāo

胡椒

pepper

yán

鹽

salt

huáng jiè mò jiàng

黃芥末醬

mustard

táng

糖

sugar

xiāng liào

香料

spices

xiāng cǎo

香草

herbs

33

食物 shí wù
Food

qiǎo kè lì

巧克力

chocolate

bīng qí lín

冰淇淋

ice cream

huá fū bǐng

華夫餅

waffles

dàn gāo

蛋糕

cake

pài

派

pie

bǐng gān

餅乾

cookie

táng guǒ

糖果

candy

yáng jiǎo miàn bāo

羊角面包

croissant

gāo diǎn

糕點

pastries

飲料 yǐn liào
Drinks

Scan here to hear the words!

niú nǎi
牛奶
milk

chá
茶
tea

kā fēi
咖啡
coffee

shuǐ
水
water

qì pào shuǐ
氣泡水
sparkling water

FUN LANGUAGE FACT:
氣泡 (qì pào) means *bubble*. So 氣泡水 (qì pào shuǐ) literally means *bubble water*.

rè qiǎo kè lì
熱巧克力
hot chocolate

guǒ zhī
果汁
juice

qì shuǐ
汽水
soda

交通工具 jiāo tōng gōng jù
Transportation

qì chē
汽車
car

chū zū chē
出租車
taxi

fēi jī
飛機
plane

FUN LANGUAGE FACT:
Do you see 車 (chē) and 機 (jī) in many of the words on this page? 車 (chē) means *vehicle*, and 機 (jī) means *machine*. So for example, the word for *taxi* is **出租車** (chū zū chē), or *rent vehicle*, and the word for *airplane* is **飛機** (fēi jī), or *fly machine*.

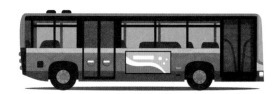

gōng gòng qì chē
公共汽車
bus

kǎ chē
卡車
truck

huǒ chē
火車
train

dì tiě
地鐵
subway

Scan here to hear the words!

zì xíng chē
自行車
bike

mó tuō chē
摩托車
motorcycle

zhí shēng jī
直升機
helicopter

FUN LANGUAGE FACTS:

自 (zì) means *self* and 行 (xíng) means *move*. So the Chinese word for *bicycle*, 自行車 (zì xíng chē), literally means *a vehicle that you move yourself*.

Say 摩托 (mó tuō) out loud. Does it sound a bit like *motor* to you? That's because 摩托 (mó tuō) comes from the word *motor*.

rè qì qiú
熱氣球
hot air balloon

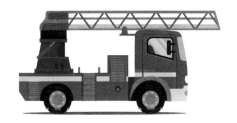

xiāo fáng chē
消防車
fire engine

jiù hù chē
救護車
ambulance

jǐng chē
警車
police car

Scan here to hear the words!

交通工具 jiāo tōng gōng jù
Transportation

wā jué jī

挖掘機
digger

huá bǎn chē

滑板車
scooter

dù lún

渡輪
ferry

xiǎo chuán

小船
boat

lún chuán

輪船
ship

fān chuán

帆船
sailboat

FUN LANGUAGE FACT:
麵包 (miàn bāo) means *bread*. So the Chinese word for *van*, 麵包車 (miàn bāo chē), means *bread vehicle*. This is because Chinese vans look kind of like a loaf of bread!

miàn bāo chē

麵包車
van

lā jī chē

垃圾車
garbage truck

yī fú hé shì pǐn pèi jiàn
衣服和飾品配件
Clothing and accessories

Scan here to hear the words!

chèn shān
襯衫
shirt

nǚ shì chèn shān
女士襯衫
blouse

T xù shān
T 恤衫
T-shirt

máo yī
毛衣
sweater

kāi shān
開衫
cardigan

kù zi
褲子
pants

wà zi
襪子
socks

lián kù wà
連褲襪
tights

qún zi
裙子
skirt

39

yī fú hé shì pǐn pèi jiàn
衣服和飾品配件
Clothing and accessories

lián yī qún
連衣裙
dress

FUN LANGUAGE FACT:
Another word for *dress* is
禮服 (lǐ fú), which means
ceremony clothing.

dà yī
大衣
coat

jiá kè shān
夾克衫
jacket

yǔ yī
雨衣
raincoat

shǒu tào
手套
gloves

wéi jīn
圍巾
scarf

mào zi
帽子
hat

bàng qiú mào
棒球帽
baseball cap

Scan here to hear the words!

shǒu liàn
手鐲
bracelet

FUN LANGUAGE FACT:
There are actually two words for *bracelet* in Chinese. Flexible bracelets, like chain bracelets, are called 手鍊 (shǒu liàn). Hard, inflexible bracelets, like bangle bracelets, are called 手鐲 (shǒu zhuó).

ěr huán
耳環
earrings

xiàng liàn
項鍊
necklace

pí dài
皮帶
belt

duǎn kù
短褲
shorts

shuì yī
睡衣
pajamas

yóu yǒng yī
游泳衣
bathing suit

Scan here to hear the words!

yī fú hé shì pǐn pèi jiàn
衣服和飾品配件
Clothing and accessories

nèi kù
內褲
underwear

lǐng dài
領帶
tie

lǐng jié
領結
bow tie

yǎn jìng
眼鏡
glasses

xī zhuāng
西裝
suit

yàn wěi fú
燕尾服
tuxedo

FUN LANGUAGE FACT:
牛仔 (niú zǎi) means *cowboy*, so jeans are literally *cowboy pants*.

niú zǎi kù
牛仔褲
jeans

tài yáng jìng
太陽鏡
sunglasses

鞋子 xié zi
Shoes

xuē zi
靴子
boots

tuō xié
拖鞋
slippers

liáng xié
涼鞋
sandals

yùn dòng xié
運動鞋
sneakers

FUN LANGUAGE FACT:
運動 (yùn dòng) means *sports*. So sneakers are literally *sports shoes* in Chinese.

gāo gēn xié
高跟鞋
high heels

yǔ xuē
雨靴
rain boots

rén zì tuō
人字拖
flip-flops

FUN LANGUAGE FACTS:
人 (rén) means *person*, and the Chinese character for rén 人 looks kind of like the top of a flip flop. This is how *flip flops* got the name 人字拖 (rén zì tuō).

43

身體 shēn tǐ
The body

tóu

頭

head

ěr duo

耳朵

ear

yǎn jing

眼睛

eye

méi mao

眉毛

eyebrow

xià ba

下巴

chin

FUN LANGUAGE FACT:
大嘴巴 (dà zuǐ ba) means *big mouth*. And like in English, this phrase describes someone who has trouble keeping secrets.

liǎn jiá

臉頰

cheek

FUN LANGUAGE FACT:
When you *sweet talk* someone, you say nice things to them to try to get them to like you or do something for you. Chinese has a similar expression, 嘴巴甜 (zuǐ ba tián), which literally means *sweet mouth*.

zuǐ ba

嘴巴

mouth

bí zi

鼻子

nose

zuǐ chún

嘴唇

lips

yá chǐ

牙齒

teeth

liǎn

臉

face

FUN LANGUAGE FACT:
If you *lose face* in English, it means you feel ashamed or embarrassed. Chinese has a similar expression, 丟臉 (diū liǎn), which literally means *lose face*.

tóu fa

頭髮

hair

jiān bǎng

肩膀

shoulder

bó zi

脖子

neck

gē bo

胳膊

arm

45

身體 shēn tǐ
The body

zhǒu bù

肘部

elbow

shǒu zhǐ

手指

finger

shǒu zhǐ jiǎ

手指甲

fingernail

shǒu

手

hand

FUN LANGUAGE FACT:
高手 (gāo shǒu), which literally translates to *high hand*, is a Chinese expression that means *expert, master*, or *pro*. Keep up your Chinese practice and you might become a 高手 someday!

shǒu wàn

手腕

wrist

tuǐ

腿

leg

xī gài

膝蓋

knee

Scan here to hear the words!

jiǎo

腳

foot

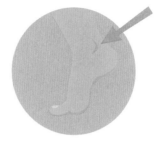

jiǎo huái

腳踝

ankle

jiǎo hòu gēn

腳後跟

heel

jiǎo zhǐ

腳趾

toe

jiǎo zhǐ jiǎ

腳趾甲

toenail

dù zi

肚子

tummy

bèi

背

back

Take your Chinese language skills to the next level!

Sign up for RosettaStone.com.

家人 jiā rén
Family

mā ma

媽媽

mom

bà ba

爸爸

dad

fù mǔ

父母

parents

FUN LANGUAGE FACT:
媽媽 (mā ma) and 爸爸 (bà ba) are like *mom* and *dad* in English. 母親 (mǔ qin) is the more formal word for *mother*, and 父親 (fù qin) is the more formal word for *father*.

nǚ ér

女兒

daughter

ér zi

兒子

son

bǎo bǎo

寶寶

baby

jiě jie

姐姐

older sister

48

Scan here to hear the words!

mèi mei

妹妹

younger sister

gē ge

哥哥

older brother

dì di

弟弟

younger brother

wài gōng

外公

grandfather (mom's side)

wài pó

外婆

grandmother (mom's side)

yé ye

爺爺

grandfather (dad's side)

nǎi nai

奶奶

grandmother (dad's side)

FUN LANGUAGE FACT:
Did you notice? There are a lot more words for family members in Chinese than there are in English. In Chinese, there are different words for older and younger siblings. There are also different words for family members who come from your mom's side of the family and ones who come from your dad's side.

49

在家 zài jiā
At home

gōng yù
公寓
apartment

lóu tī
樓梯
stairs

diàn tī
電梯
elevator

wū dǐng
屋頂
roof

yáng tái
陽臺
balcony

zǒu láng
走廊
hallway

chuāng hu
窗戶
window

mén
門
door

FUN LANGUAGE FACT:
沒門兒 (méi ménr), which literally translates as *no door*, is a Chinese expression that means *There's no way!* or *That's impossible!*

50

fáng jiān

房間

room

shā fā

沙發

couch

FUN LANGUAGE FACT:
Say 沙發(shā fā) out loud. Does it sound a bit like *sofa* to you? That's because it comes from the word *sofa*.

FUN LANGUAGE FACTS:
小 (xiǎo) means *small*, 地 (dì) means *floor* and 毯 (tǎn) means *blanket*. So a rug is a *small floor blanket* in Chinese.

xiǎo dì tǎn

小地毯

rug

dì bǎn

地板

floor

dì tǎn

地毯

carpet

zhuō zi

桌子

table

yǐ zi

椅子

chair

kā fēi zhuō

咖啡桌

coffee table

shū guì

書櫃

bookcase

huā yuán

花園

garden

diàn shì

電視

TV

shí zhōng

時鐘

clock

chuáng

床

bed

zhěn tou

枕頭

pillow

diàn nǎo

電腦

computer

huà

畫

painting

Scan here to hear the words!

chōu tì guì

抽屜櫃

dresser

shǒu jī

手機

cell phone

FUN LANGUAGE FACT:
The word for *cell phone*, 手機 (shǒu jī), means *hand machine* in Chinese.

huā píng

花瓶

vase

kào zhěn

靠枕

cushion

chuāng lián

窗簾

curtain

shū jià

書架

shelf

dēng

燈

lamp

wán jù

玩具

toys

53

Scan here to hear the words!

在家 *zài jiā*
At home

shū zhuō

書桌

desk

FUN LANGUAGE FACT:
書 (shū) means *book*, while 桌 (zhuō) means *table*. So a desk is literally a *book table* in Chinese.

diàn shàn

電扇

fan

xǐ yī jī

洗衣機

washer

gān yī jī

乾衣機

dryer

gé lóu

閣樓

attic

dì xià shì

地下室

basement

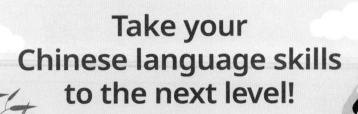

在廚房裡 zài chú fáng lǐ
In the kitchen

Scan here to hear the words!

lú zào
爐灶
stove

bīng xiāng
冰箱
refrigerator

FUN LANGUAGE FACT:
冰箱 (bīng xiāng) means *ice box*, and it refers to both the refrigerator and the freezer.

tiě guō
鐵鍋
wok

guō
鍋
pot

píng dǐ guō
平底鍋
pan

xǐ wǎn jī
洗碗機
dishwasher

wēi bō lú
微波爐
microwave

kǎo miàn bāo jī
烤麵包機
toaster

Scan here to hear the words!

在廚房裡 zài chú fáng lǐ
In the kitchen

kǎo xiāng
烤箱
oven

wéi qun
圍裙
apron

xǐ wǎn chí
洗碗池
kitchen sink

shuǐ lóng tou
水龍頭
faucet

jiǎo bàn jī
攪拌機
blender

chá hú
茶壺
tea kettle

diàn fàn guō
電飯鍋
rice cooker

cài bǎn
菜板
cutting board

lā jī tǒng
垃圾桶
garbage can

在餐桌上 zài cān zhuō shàng
At the table

Scan here to hear the words!

chā zi
叉子
fork

dāo
刀
knife

sháo zi
勺子
spoon

kuài zi
筷子
chopsticks

bō li bēi
玻璃杯
glass

pán zi
盤子
plate

wǎn
碗
bowl

bēi zi
杯子
cup

liáng shuǐ hú
涼水壺
pitcher

Scan here to hear the words!

在餐桌上 zài cān zhuō shàng
At the table

cān jīn
餐巾
napkin

cān jù
餐具
dishes

zhuō bù
桌布
tablecloth

zǎo fàn
早飯
breakfast

FUN LANGUAGE FACT:
飯 (fàn) means *food* or *meal*. Breakfast is 早飯 (zǎo fàn), or *early meal*; lunch is 午飯 (wǔ fàn), or *noon meal*; and dinner is 晚飯 (wǎn fàn), or *late meal*.

wǔ fàn
午飯
lunch

wǎn fàn
晚飯
dinner

tián diǎn
甜點
dessert

cài dān
菜單
menu

洗漱時間 xǐ shù shí jiān
Bath time

Scan here to hear the words!

yá shuā
牙刷
toothbrush

yá gāo
牙膏
toothpaste

FUN LANGUAGE FACT:
擠牙膏 (jǐ yá gāo), which literally means *to squeeze toothpaste*, is a Chinese expression that means *to get the truth out of someone bit by bit.*

yá xiàn
牙線
floss

wèi shēng zhǐ
衛生紙
toilet paper

mǎ tǒng
馬桶
toilet

fà shuā
髮刷
hairbrush

shū zi
梳子
comb

yù gāng
浴缸
bathtub

洗漱時間 xǐ shù shí jiān
Bath time

yù jīn
浴巾
bath towel

xǐ zǎo jiān
洗澡間
shower

féi zào
肥皂
soap

xǐ fà shuǐ
洗髮水
shampoo

hù fū rǔ
護膚乳
lotion

FUN LANGUAGE FACT:
肥 (féi) means *fat* while 皂 (zào) comes from the word 皂莢 (zào jiá), which means *honey locust*. In ancient China, people used parts of the honey locust tree to wash clothing.

jìng zi
鏡子
mirror

xǐ shǒu chí
洗手池
sink

chuī fēng jī
吹風機
hair dryer

在學校 zài xué xiào
At school

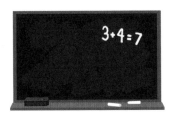

hēi bǎn

黑板

blackboard

你會說中文吗?

bái bǎn

白板

whiteboard

xiào fú

校服

school uniform

jiǎn dāo

剪刀

scissors

chǐ zi

尺子

ruler

xiàng pí cā

橡皮擦

eraser

shū

書

book

在學校 zài xué xiào
At school

qiān bǐ
鉛筆
pencil

yuán zhū bǐ
圓珠筆
pen

shí táng
食堂
cafeteria

dì tú
地圖
map

là bǐ
蠟筆
crayon

FUN LANGUAGE FACTS:
Another word for *cafeteria* is 餐廳 (cān tīng), which also means *restaurant*.

記號筆 (mǎ kè bǐ) comes from the English word, *marker*.

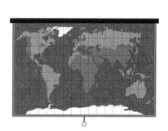

wǔ cān hé
午餐盒
lunchbox

bǐ jì běn
筆記本
notebook

mǎ kè bǐ
馬克筆
marker

運動 yùn dòng
Sports

Scan here to hear the words!

zú qiú
足球
soccer

lán qiú
籃球
basketball

wǎng qiú
網球
tennis

FUN LANGUAGE FACT:
球 (qiú) means *ball*. That's why you see this word in many of the sports names on this page! *Soccer* is 足球 (zú qiú), or *foot ball*; *basketball* is 籃球 (lán qiú), or *basket ball*, and *tennis* is 網球 (wǎng qiú), or *net ball*.

tǐ cāo
體操
gymnastics

qí zì xíng chē
騎自行車
cycling

huá xuě
滑雪
skiing

huá bīng
滑冰
ice skating

63

運動 yùn dòng
Sports

gāo ěr fū qiú
高爾夫球
golf

FUN LANGUAGE FACT:
高爾夫 (gāo ěr fū) comes from the word *golf*.

yóu yǒng
游泳
swimming

tiào shuǐ
跳水
diving

huá chuán
划船
rowing

bàng qiú
棒球
baseball

yuǎn zú
遠足
hiking

tiào wǔ
跳舞
dancing

qí mǎ
騎馬
horseback riding

fān chuán yùn dòng

帆船運動

sailing

chōng làng

衝浪

surfing

huá bǎn yùn dòng

滑板運動

skateboarding

pái qiú

排球

volleyball

pǎo bù

跑步

running

shuāi jiāo

摔跤

wrestling

pīng pāng qiú

乒乓球

table tennis

wǔ shù

武術

martial arts

shè jiàn

射箭

archery

65

Scan here to hear the words!

運動器材 yùn dòng qì cái
Sports equipment

tǐ yù chǎng
體育場
stadium

qiú mén
球門
goal

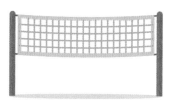

wǎng
網
net

lán kuāng
籃框
basketball hoop

bīng dāo
冰刀
ice skates

FUN LANGUAGE FACT:
冰 (bīng) means *ice* while 刀 (dāo) means *knife*, since ice skates cut through the ice like a knife.

tóu kuī
頭盔
helmet

qiú
球
ball

wǎng qiú pāi
網球拍
tennis racket

yǒu yòng de duǎn yǔ
有用的短語
Useful phrases

Scan here to hear the words!

nǐ hǎo ma?
你好嗎?

wǒ hěn hǎo, nǐ ne?
我很好, 你呢?

Hello!
nǐ hǎo!
你好!

Good morning.
zǎo shàng hǎo.
早上好。

Good evening.
wǎn shàng hǎo.
晚上好。

Good night.
wǎn ān.
晚安。

Hi, my name is __.
nǐ hǎo, wǒ jiào__.
你好, 我叫___。

Pleased to meet you.
rèn shi nǐ hěn gāo xìng.
認識你很高興。

Welcome.
huān yíng.
歡迎。

Goodbye.
zài jiàn.
再見。

See you later!
huí tóu jiàn!
回頭見!

How are you?
nǐ hǎo ma?
你好嗎?

Another common way to ask *How are you?* in Chinese is to say **你怎麼樣** (nǐ zěn me yàng)? This is commonly used among friends.

When people say *welcome* in Chinese, they often repeat this phrase: 歡迎歡迎 (huān yíng huān yíng).

I'm fine thanks, and you?
wǒ hěn hǎo, nǐ ne?
我很好, 你呢?

Thank you.
xiè xie nǐ.
謝謝你。

You're welcome.
bú kè qi.
不客氣。

I don't understand.
wǒ bù dǒng.
我不懂。

yǒu yòng de duǎn yǔ
有用的短語
Useful phrases

Where is the bathroom?
xǐ shǒu jiān zài nǎ li?
洗手間在哪裡？

Do you speak English?
nǐ huì shuō yīng yǔ ma?
你會說英語嗎？

How old are you?
nǐ duō dà le?
你多大了？

I'm __ years old.
wǒ ____ suì.
我 _____ 歲。

Excuse me.
bù hǎo yì si.
不好意思。

If you accidentally bump into someone, use **不好意思** (bù hǎo yì si) to apologize. If you are stopping someone on the street to ask for directions, use **請問** (qǐng wèn) instead.

I'm sorry.
duì bu qǐ.
對不起。

Could you help me?
nǐ néng bāng wǒ yí xià ma?
你能幫我一下嗎？

nǐ néng gěi wǒ men pāi zhāng zhào ma?
你能給我們拍張照嗎？

Could you take our picture?
nǐ néng gěi wǒ men pāi zhāng zhào ma?
你能給我們拍張照嗎？

Please
qǐng
請

Okay
hǎo de
好的

Yes
shì
是

No
bù
不

How much does this cost?
zhè ge duō shǎo qián?
這個多少錢？

qǐng màn yòng.
請慢用。

Enjoy your meal!
qǐng màn yòng!
請慢用！

English to Chinese Word List

A

almond
杏仁
xìng rén

ambulance
救護車
jiù hù chē

ankle
腳踝
jiǎo huái

ant
螞蟻
mǎ yǐ

apartment
公寓
gōng yù

apple
蘋果
píng guǒ

apricot
杏
xìng

apron
圍裙
wéi qun

archery
射箭
shè jiàn

arm
胳膊
gē bo

asparagus
蘆筍
lú sǔn

attic
閣樓
gé lóu

avocado
牛油果
niú yóu guǒ

B

baby
寶寶
bǎo bǎo

back
背
bèi

balcony
陽臺
yáng tái

ball
球
qiú

banana
香蕉
xiāng jiāo

baseball
棒球
bàng qiú

baseball cap
棒球帽
bàng qiú mào

basement
地下室
dì xià shì

basketball
籃球
lán qiú

basketball hoop
籃框
lán kuāng

bat
蝙蝠
biān fú

bath towel
浴巾
yù jīn

bathing suit
游泳衣
yóu yǒng yī

bathtub
浴缸
yù gāng

beans
豆子
dòu zi

bear
熊
xióng

bed
床
chuáng

bee
蜜蜂
mì fēng

beetle
甲殼蟲
jiǎ ké chóng

bell pepper
彩椒
cǎi jiāo

belt
皮帶
pí dài

bike
自行車
zì xíng chē

bird
鳥
niǎo

bitter melon
苦瓜
kǔ guā

black
黑色
hēi sè

blackberry
黑莓
hēi méi

blackboard
黑板
hēi bǎn

blender
攪拌機
jiǎo bàn jī

blouse
女士襯衫
nǚ shì chèn shān

English to Chinese Word List

blue
藍色
lán sè

blueberry
藍莓
lán méi

boat
小船
xiǎo chuán

bok choy
小白菜
xiǎo bái cài

book
書
shū

bookcase
書櫃
shū guì

boots
靴子
xuē zi

bow tie
領結
lǐng jié

bowl
碗
wǎn

bracelet
手鐲
shǒu liàn

bread
麵包
miàn bāo

breakfast
早飯
zǎo fàn

broccoli
西蘭花
xī lán huā

brown
棕色
zōng sè

Brussels sprouts
抱子甘藍
bào zǐ gān lán

bus
公共汽車
gōng gòng qì chē

butter
黃油
huáng yóu

butterfly
蝴蝶
hú dié

C

cabbage
圓白菜
yuán bái cài

cafeteria
食堂
shí táng

cake
蛋糕
dàn gāo

camel
駱駝
luò tuo

candy
糖果
táng guǒ

car
汽車
qì chē

cardigan
開衫
kāi shān

carpet
地毯
dì tǎn

carrot
胡蘿蔔
hú luó bo

cashew
腰果
yāo guǒ

cat
貓
māo

caterpillar
毛毛蟲
máo máo chóng

cauliflower
菜花
cài huā

celery
西芹
xī qín

cell phone
手機
shǒu jī

centipede
蜈蚣
wú gōng

cereal
麥片
mài piàn

chair
椅子
yǐ zi

cheek
臉頰
liǎn jiá

cheese
奶酪
nǎi lào

cherry
櫻桃
yīng táo

chestnut
栗子
lì zi

chicken
雞
jī

chin
下巴
xià ba

chocolate
巧克力
qiǎo kè lì

chopsticks
筷子
kuài zi

circle
圓形
yuán xíng

clock
時鐘
shí zhōng

coat
大衣
dà yī

coconut
椰子
yē zi

coffee
咖啡
kā fēi

coffee table
咖啡桌
kā fēi zhuō

comb
梳子
shū zi

computer
電腦
diàn nǎo

congee
粥
zhōu

cookie
餅乾
bǐng gān

corn
玉米
yù mǐ

couch
沙發
shā fā

cow
牛
niú

crab
螃蟹
páng xiè

cranberry
蔓越莓
màn yuè méi

crayon
蠟筆
là bǐ

crocodile
鱷魚
è yú

croissant
羊角面包
yáng jiǎo miàn bāo

cucumber
黃瓜
huáng guā

cup
杯子
bēi zi

curtain
窗簾
chuāng lián

cushion
靠枕
kào zhěn

cutting board
菜板
cài bǎn

cycling
騎自行車
qí zì xíng chē

D

dad
爸爸
bà ba

dancing
跳舞
tiào wǔ

dark blue
深藍色
shēn lán sè

daughter
女兒
nǚ ér

deer
鹿
lù

desk
書桌
shū zhuō

dessert
甜點
tián diǎn

diamond
菱形
líng xíng

digger
挖掘機
wā jué jī

dinner
晚飯
wǎn fàn

dishes
餐具
cān jù

dishwasher
洗碗機
xǐ wǎn jī

diving
跳水
tiào shuǐ

dog
狗
gǒu

dolphin
海豚
hǎi tún

English to Chinese Word List

door
門
mén

dragon
龍
lóng

dress
連衣裙
lián yī qún

dresser
抽屜櫃
chōu tì guì

dryer
乾衣機
gān yī jī

duck
鴨子
yā zi

dumplings
餃子
jiǎo zi

E

ear
耳朵
ěr duo

earrings
耳環
ěr huán

egg
雞蛋
jī dàn

eggplant
茄子
qié zi

eight
八
bā

eighteen
十八
shí bā

eighty
八十
bā shí

elbow
肘部
zhǒu bù

elephant
大象
dà xiàng

elevator
電梯
diàn tī

eleven
十一
shí yī

eraser
橡皮擦
xiàng pí cā

eye
眼睛
yǎn jing

eyebrow
眉毛
méi mao

F

face
臉
liǎn

fan
電扇
diàn shàn

faucet
水龍頭
shuǐ lóng tou

ferry
渡輪
dù lún

fifteen
十五
shí wǔ

fifty
五十
wǔ shí

fig
無花果
wú huā guǒ

finger
手指
shǒu zhǐ

fingernail
手指甲
shǒu zhǐ jiǎ

fire engine
消防車
xiāo fáng chē

firefly
螢火蟲
yíng huǒ chóng

fish
魚
yú

five
五
wǔ

flamingo
火烈鳥
huǒ liè niǎo

flip flops
人字拖
rén zì tuō

floor
地板
dì bǎn

floss
牙線
yá xiàn

flour
麵粉
miàn fěn

fly
蒼蠅
cāng ying

foot
腳
jiǎo

fork
叉子
chā zi

forty
四十
sì shí

four
四
sì

fourteen
十四
shí sì

fox
狐狸
hú li

fries
薯條
shǔ tiáo

frog
青蛙
qīng wā

G

garbage can
垃圾桶
lā jī tǒng

garbage truck
垃圾車
lā jī chē

garden
花園
huā yuán

garlic
大蒜
dà suàn

ginger
薑
jiāng

giraffe
長頸鹿
cháng jǐng lù

glass
玻璃杯
bō li bēi

glasses
眼鏡
yǎn jìng

gloves
手套
shǒu tào

goal
球門
qiú mén

goat
山羊
shān yáng

golf
高爾夫球
gāo ěr fū qiú

goose
鵝
é

gorilla
大猩猩
dà xīng xing

**grandfather
(dad's side)**
爺爺
yé ye

**grandfather
(mom's side)**
外公
wài gōng

**grandmother
(dad's side)**
奶奶
nǎi nai

**grandmother
(mom's side)**
外婆
wài pó

grapefruit
西柚
xī yòu

grapes
葡萄
pú tao

grasshopper
螞蚱
mà zha

gray
灰色
huī sè

green
綠色
lù sè

green beans
四季豆
sì jì dòu

guava
番石榴
fān shí liu

gymnastics
體操
tǐ cāo

H

hair
頭髮
tóu fa

hair dryer
吹風機
chuī fēng jī

hairbrush
髮刷
fà shuā

hallway
走廊
zǒu láng

ham
火腿
huǒ tuǐ

hamster
倉鼠
cāng shǔ

hand
手
shǒu

hat
帽子
mào zi

hazelnut
榛子
zhēn zi

73

English to Chinese Word List

head
頭
tóu

heart
心形
xīn xíng

hedgehog
刺蝟
cì wei

heel
腳後跟
jiǎo hòu gēn

helicopter
直升機
zhí shēng jī

helmet
頭盔
tóu kuī

herbs
香草
xiāng cǎo

high heels
高跟鞋
gāo gēn xié

hiking
遠足
yuǎn zú

hippopotamus
河馬
hé mǎ

honey
蜂蜜
fēng mì

horse
馬
mǎ

horseback riding
騎馬
qí mǎ

hot air balloon
熱氣球
rè qì qiú

hot chocolate
熱巧克力
rè qiǎo kè lì

I

ice cream
冰淇淋
bīng qí lín

ice skates
冰刀
bīng dāo

ice skating
滑冰
huá bīng

J

jacket
夾克衫
jiá kè shān

jam
果醬
guǒ jiàng

jeans
牛仔褲
niú zǎi kù

juice
果汁
guǒ zhī

K

kale
羽衣甘藍
yǔ yī gān lán

kangaroo
袋鼠
dài shǔ

ketchup
番茄醬
fān qié jiàng

kitchen sink
洗碗池
xǐ wǎn chí

kiwi
獼猴桃
mí hóu táo

knee
膝蓋
xī gài

knife
刀
dāo

koala
樹袋熊
shù dài xióng

L

ladybug
瓢蟲
piáo chóng

lamp
燈
dēng

leek
韭蔥
jiǔ cōng

leg
腿
tuǐ

lemon
檸檬
níng méng

lentils
小扁豆
xiǎo biǎn dòu

lettuce
生菜
shēng cài

lime
青檸檬
qīng níng méng

lion
獅子
shī zi

lips
嘴唇
zuǐ chún

lobster
龍蝦
lóng xiā

lotion
護膚乳
hù fū rǔ

lotus root
蓮藕
lián ǒu

lunch
午飯
wǔ fàn

lunchbox
午餐盒
wǔ cān hé

lychee
荔枝
lì zhī

M

mango
芒果
máng guǒ

map
地圖
dì tú

marker
馬克筆
mǎ kè bǐ

martial arts
武術
wǔ shù

meat
肉
ròu

melon
哈密瓜
hā mì guā

menu
菜單
cài dān

microwave
微波爐
wēi bō lú

milk
牛奶
niú nǎi

mirror
鏡子
jìng zi

mole
鼴鼠
yǎn shǔ

mom
媽媽
mā ma

monkey
猴子
hóu zi

mosquito
蚊子
wén zi

moth
飛蛾
fēi é

motorcycle
摩托車
mó tuō chē

mouse
老鼠
lǎo shǔ

mouth
嘴巴
zuǐ ba

mushroom
蘑菇
mó gu

mustard
黃芥末醬
huáng jiè mò jiàng

N

napkin
餐巾
cān jīn

neck
脖子
bó zi

necklace
項鍊
xiàng liàn

net
網
wǎng

nine
九
jiǔ

nineteen
十九
shí jiǔ

ninety
九十
jiǔ shí

noodles
麵條
miàn tiáo

nose
鼻子
bí zi

notebook
筆記本
bǐ jì běn

English to Chinese Word List

O

oatmeal
燕麥片
yàn mài piàn

octopus
章魚
zhāng yú

oil
油
yóu

older brother
哥哥
gē ge

older sister
姐姐
jiě jie

olive
橄欖
gǎn lǎn

one
一
yī

one hundred
一百
yì bǎi

onion
洋蔥
yáng cōng

orange (color)
橙色
chéng sè

orange (fruit)
橘子
jú zi

oval
橢圓形
tuǒ yuán xíng

oven
烤箱
kǎo xiāng

owl
貓頭鷹
māo tóu yīng

P

painting
畫
huà

pajamas
睡衣
shuì yī

pale blue
淺藍色
qiǎn lán sè

pan
平底鍋
píng dǐ guō

panda
熊貓
xióng māo

pants
褲子
kù zi

papaya
木瓜
mù guā

parents
父母
fù mǔ

parrot
鸚鵡
yīng wǔ

passion fruit
百香果
bǎi xiāng guǒ

pasta
意大利麵
yì dà lì miàn

pastries
糕點
gāo diǎn

peach
桃子
táo zi

peanut
花生
huā shēng

pear
梨
lí

peas
豌豆
wān dòu

pecan
碧根果
bì gēn guǒ

pen
圓珠筆
yuán zhū bǐ

pencil
鉛筆
qiān bǐ

penguin
企鵝
qǐ é

pepper
胡椒
hú jiāo

persimmon
柿子
shì zi

pie
派
pài

pig
豬
zhū

pillow
枕頭
zhěn tou

pineapple
菠蘿
bō luó

pink
粉色
fěn sè

pistachio
開心果
kāi xīn guǒ

pitcher
涼水壺
liáng shuǐ hú

plane
飛機
fēi jī

plate
盤子
pán zi

plum
李子
lǐ zi

police car
警車
jǐng chē

pomegranate
石榴
shí liu

pot
鍋
guō

potato
土豆
tǔ dòu

prune
西梅
xī méi

pumpkin
南瓜
nán guā

purple
紫色
zǐ sè

R

rabbit
兔子
tù zi

raccoon
浣熊
huàn xióng

radish
蘿蔔
luó bo

rain boots
雨靴
yǔ xuē

raincoat
雨衣
yǔ yī

raisins
葡萄乾
pú táo gān

raspberry
紅莓
hóng méi

rectangle
長方形
cháng fāng xíng

red
紅色
hóng sè

red date
紅棗
hóng zǎo

refrigerator
冰箱
bīng xiāng

rhinoceros
犀牛
xī niú

rice
米飯
mǐ fàn

rice cooker
電飯鍋
diàn fàn guō

roof
屋頂
wū dǐng

room
房間
fáng jiān

rowing
划船
huá chuán

rug
小地毯
xiǎo dì tǎn

ruler
尺子
chǐ zi

running
跑步
pǎo bù

S

sailboat
帆船
fān chuán

sailing
帆船運動
fān chuán yùn dòng

salad
沙拉
shā lā

salt
鹽
yán

sandals
涼鞋
liáng xié

sandwich
三明治
sān míng zhì

sausage
香腸
xiāng cháng

scarf
圍巾
wéi jīn

school uniform
校服
xiào fú

scissors
剪刀
jiǎn dāo

scooter
滑板車
huá bǎn chē

sea star
海星
hǎi xīng

seahorse
海馬
hǎi mǎ

seal
海豹
hǎi bào

seven
七
qī

seventeen
十七
shí qī

seventy
七十
qī shí

shallot
紅蔥頭
hóng cōng tóu

shampoo
洗髮水
xǐ fà shuǐ

shark
鯊魚
shā yú

sheep
羊
yáng

shelf
書架
shū jià

ship
輪船
lún chuán

shirt
襯衫
chèn shān

shorts
短褲
duǎn kù

shoulder
肩膀
jiān bǎng

shower
洗澡間
xǐ zǎo jiān

sink
洗手池
xǐ shǒu chí

six
六
liù

sixteen
十六
shí liù

sixty
六十
liù shí

skateboarding
滑板運動
huá bǎn yùn dòng

skiing
滑雪
huá xuě

skirt
裙子
qún zi

skunk
臭鼬
chòu yòu

slippers
拖鞋
tuō xié

snake
蛇
shé

sneakers
運動鞋
yùn dòng xié

soap
肥皂
féi zào

soccer
足球
zú qiú

socks
襪子
wà zi

soda
汽水
qì shuǐ

son
兒子
ér zi

soup
湯
tāng

soy sauce
醬油
jiàng yóu

soybean
黃豆
huáng dòu

sparkling water
氣泡水
qì pào shuǐ

spices
香料
xiāng liào

spider
蜘蛛
zhī zhū

spinach
菠菜
bō cài

spoon
勺子
sháo zi

square
正方形
zhèng fāng xíng

squirrel
松鼠
sōng shǔ

stadium
體育場
tǐ yù chǎng

stairs
樓梯
lóu tī

star
星形
xīng xíng

steamed stuffed bun
包子
bāo zi

stove
爐灶
lú zào

strawberry
草莓
cǎo méi

subway
地鐵
dì tiě

sugar
糖
táng

suit
西裝
xī zhuāng

sunglasses
太陽鏡
tài yáng jìng

surfing
衝浪
chōng làng

sweater
毛衣
máo yī

sweet potato
紅薯
hóng shǔ

swimming
游泳
yóu yǒng

T-shirt
T 恤衫
T xù shān

table
桌子
zhuō zi

table tennis
乒乓球
pīng pāng qiú

tablecloth
桌布
zhuō bù

taxi
出租車
chū zū chē

tea
茶
chá

tea kettle
茶壺
chá hú

teeth
牙齒
yá chǐ

ten
十
shí

tennis
網球
wǎng qiú

tennis racket
網球拍
wǎng qiú pāi

thirteen
十三
shí sān

thirty
三十
sān shí

three
三
sān

tie
領帶
lǐng dài

tiger
老虎
lǎo hǔ

tights
連褲襪
lián kù wà

toaster
烤麵包機
kǎo miàn bāo jī

toe
腳趾
jiǎo zhǐ

toenail
腳趾甲
jiǎo zhǐ jiǎ

tofu
豆腐
dòu fu

toilet
馬桶
mǎ tǒng

toilet paper
衛生紙
wèi shēng zhǐ

tomato
西紅柿
xī hóng shì

toothbrush
牙刷
yá shuā

toothpaste
牙膏
yá gāo

toys
玩具
wán jù

train
火車
huǒ chē

triangle
三角形
sān jiǎo xíng

truck
卡車
kǎ chē

English to Chinese Word List

tummy
肚子
dù zi

tuna
金槍魚
jīn qiāng yú

turkey
火雞
huǒ jī

turtle
烏龜
wū guī

tuxedo
燕尾服
yàn wěi fú

TV
電視
diàn shì

twelve
十二
shí èr

twenty
二十
èr shí

two
二
èr

U

underwear
內褲
nèi kù

V

van
麵包車
miàn bāo chē

vase
花瓶
huā píng

vinegar
醋
cù

volleyball
排球
pái qiú

W

waffles
華夫餅
huá fū bǐng

walnut
核桃
hé tao

washer
洗衣機
xǐ yī jī

water
水
shuǐ

watermelon
西瓜
xī guā

whale
鯨魚
jīng yú

wheat
小麥
xiǎo mài

white
白色
bái sè

whiteboard
白板
bái bǎn

window
窗戶
chuāng hu

wok
鐵鍋
tiě guō

wolf
狼
láng

worm
蠕蟲
rú chóng

wrestling
摔跤
shuāi jiāo

wrist
手腕
shǒu wàn

Y

yellow
黃色
huáng sè

yogurt
酸奶
suān nǎi

younger brother
弟弟
dì di

younger sister
妹妹
mèi mei

Z

zebra
斑馬
bān mǎ

zero
零
líng

zucchini
西葫蘆
xī hú lu